Pour ma famille qui est un rêve devenu réalité,
Jason, Justin, Miles et Paris
— A. K. R.

Pour tous les rêveurs et ceux qui croient
— B. B.

Catalogage avant publication de Bibliothèque et Archives Canada

Rosenthal, Amy Krouse
[Uni the unicorn and the dream come true. Français]
Le grand rêve de Licorne / Amy Krouse Rosenthal ; illustrations
de Brigette Barrager ; texte français de Josée Leduc.

Traduction de: Uni the unicorn and the dream come true.
ISBN 978-1-4431-6842-7 (couverture souple)

I. Barrager, Brigette, illustrateur II. Titre. III. Titre: Uni the
unicorn and the dream come true. Français.

PZ23.R6837Gr 2018   j813'.54   C2017-906834-2

Édition publiée par les Éditions Scholastic, 604, rue King Ouest,
Toronto (Ontario) M5V 1E1, avec la permission de Random House Children's Books.

5 4 3 2 1   Imprimé en Chine 38   18 19 20 21 22

Le grand rêve de LICORNE

Amy Krouse Rosenthal

Illustrations de Brigette Barrager

Texte français de Josée Leduc

*L*a pluie ne cesse de tomber
au royaume des licornes.

Ce qui veut dire qu'il n'y a pas de soleil
(depuis une éternité, semble-t-il),

ni d'arc-en-ciel
(depuis une éternité, semble-t-il),

ni de magie
(depuis une éternité, semble-t-il).

Rappelle-toi que la force et
le pouvoir magique des licornes
ne découlent que de trois sources :

du soleil éclatant,
de magnifiques arcs-en-ciel,
et de l'étincelle de croire.

Heureusement, il y a une lueur d'espoir : Licorne elle-même, qui croit fermement en L'EXISTENCE des petites filles.

Et c'est pourquoi Licorne, et seulement Licorne, est toujours aussi resplendissante et magique.

Mais elle s'inquiète de l'état des autres licornes.

Pendant ce temps, quelque part, loin d'ici
(mais pas *si loin* que ça), une petite fille
regarde la pluie tomber depuis sa fenêtre.

Elle sent qu'on a désespérément
besoin d'elle au royaume des licornes.

(Elle est vraiment futée, cette petite fille.)

Plus il pleut, plus elle en est certaine.

Plus il pleut fort, plus Licorne y croit.

Plus l'orage dure, plus elles ont le désir
d'être enfin réunies.

Tout à coup, toutes deux entendent le tonnerre.

CLAP

CLAP!

Toutes deux voient un éclair.

ZAP

ZAP!

Elles ferment les yeux
et font le même vœu.

Puis tout devient blanc et silencieux.

— C'est vraiment toi,
Licorne! s'écrie la petite fille.

— Tu existes VRAIMENT!
(Bien que Licorne n'en ait jamais douté.)

Elles pourraient se faire des câlins

et rire ensemble pendant des heures,

mais il n'y a pas de temps à perdre.

Elles traversent la prairie en courant.

Elles s'arrêtent pour aider les créatures de la forêt.

Et ensemble, elles répandent la joie.

Finalement, elles remarquent les licornes
rassemblées sous un grand arbre.

Et celles-ci réalisent ce que Licorne
a toujours su :

— C'est vrai! Tu avais raison!
Les petites filles existent VRAIMENT!

Il suffit qu'elles y croient et se lient d'amitié avec la petite fille pour que toutes les licornes redeviennent soudainement scintillantes, puissantes et magiques.

À elle seule, Licorne est incapable
d'arrêter la pluie incessante, malgré ses vœux.

Mais si toutes les licornes essaient
ENSEMBLE, peut-être y parviendront-elles...

Et comment!

Après ce qui semble avoir duré une éternité,
la pluie cesse enfin.

Les nuages se dissipent et le soleil éclatant
réapparaît.

Licorne et la petite fille gambadent
et tourbillonnent ensemble.

Puis, à leur grande surprise, elles voient
apparaître avec émerveillement... non pas UN,
mais DEUX magnifiques arcs-en-ciel!

Comme ils font un pont entre Ici et
Là-bas, cela signifie que la petite fille peut
retourner chez elle accompagnée de quelqu'un
d'autre.

Et bien sûr, bien sûr, bien sûr,
tu sais qui elle a choisi.

Elle brûle d'impatience
de présenter enfin Licorne
à sa famille et à ses amis.